手书格言别录

弘一大师 著

中国画报出版社 · 北京

图书在版编目（CIP）数据

手书格言别录 / 弘一大师著．-- 北京：中国画报出版社，2017.1（2022.11重印）
（弘一大师文集）
ISBN 978-7-5146-1381-0
Ⅰ．①手… Ⅱ．①弘… Ⅲ．①汉字－法书－作品集－中国－现代 Ⅳ．①J292.28
中国版本图书馆 CIP 数据核字 (2016) 第 247160 号

手书格言别录　弘一大师 著

出 版 人：于九涛
特别策划：吴红梅
责任编辑：于九涛 郭翠青
助理编辑：魏姗姗
封面篆章：朱广贺
责任印制：焦 洋
出版发行：中国画报出版社
（中国北京市海淀区车公庄西路 33 号 邮编：100048）
开　　本：32 开（787mm × 1092mm）
印　　张：3
字　　数：39 千字
版　　次：2017 年 1 月第 1 版　2022 年 11 月第 2 次印刷
印　　刷：三河市兴国印务有限公司
定　　价：18.00 元
总编室兼传真：010-88417359　版权部：010-88417409
发行部：010-88417360　010-88417417（传真）

目录

题《格言联璧》

余童年恒览是书，三十以后，亦奉是为圭臬。余离俗已二十载，偶披此卷，如饮甘露，涤沁心脾，百读不厌也。或疑“齐家”“从政”二门，与出家人不相涉；然整顿常住，训导法眷，任职丛林，方便接引，若取资于此二门，善为变通应用，其所获之利益，正无限也。

演音

学问类

凛闲居以体独，卜动念以知几，谨威仪以定命，敦大伦以凝道，备百行以考德，迁善改过以作圣。

——刘忠介《人谱》六条

观天地生物气象，学圣贤克己工夫。

存养类

宜静默，宜从容，宜谨严，宜俭约。

谦退是保身第一法，安详是处世第一法，涵容是待人第一法，恬淡是养心第一法。

刘念台云：

涵养，全得一缓字，凡言语动作皆是。

应事接物，常觉得心中有从容闲暇时，才见涵养。

刘念台云：

易喜易怒，轻言轻动，只是一种浮气用事，此病根最不小。

吕新吾云：

心平气和四字，非有涵养者不能做，工夫只在个定火。

陈榕门云：

定火工夫，不外以理制欲。

理胜，则气自平矣。

以和气迎人，则乖沴灭；以正气接物，

则妖气消；以浩气临事，则疑畏释；以静气养身，则梦寐恬。

轻当矫之以重，浮当矫之以实，褊当矫之以宽，躁急当矫之以和缓，刚暴当矫之以温柔，浅露当矫之以沉潜，溪刻当矫之以浑厚。

尹和靖云：

莫大之祸，皆起于须臾之不能忍，不可不谨。

逆境顺境看襟度，临喜临怒看涵养。

持躬类

聪明睿知，守之以愚；

道德隆重，守之以谦。

富贵，怨之府也；才能，身之灾也；

声名，谤之媒也；欢乐，悲之渐也。

只是常有惧心，退一步做，见益而思损，持满而思溢，则免于祸。

人生最不幸处是——

偶一失言而祸不及，

偶一失谋而事幸成，

偶一恣行而获小利，

后乃视为故常，而恬不为意。

则莫大之患，由此生矣。

学一分退让，讨一分便宜；

增一分享用，减一分福泽。

不自重者取辱，不自畏者招祸。

盖世功劳，当不得一个“矜”字；

弥天罪恶，当不得一个“悔”字。

事当快意处，须转；言到快意时，须住。
殃咎之来，未有不始于快心者。
故君子得意而忧，逢喜而惧。

物忌全胜，事忌全美，人忌全盛。

安莫安于知足，危莫危于多言。

行己恭，责躬厚，接众和，立心正，进道勇。
择友以求益，改过以全身。
心不妄念，身不妄动，
口不妄言，君子所以存诚。
内不欺己，外不欺人，
上不欺天，君子所以慎独。

心术以光明笃实为第一，

容貌以正大老成为第一，

言语以简重真切为第一。

平生无一事可瞒人，此是大快乐。

以情恕人，以理律己。

以恕己之心恕人，则全交；

以责人之心责己，则寡过。

唐荆川云：

须要刻刻检点自家病痛，盖所恶于人许多病痛处，若真知反己，则色色有之也。

“缓”字可以免悔，“退”字可以免祸。

（敦品类）[①]
处事类

处难处之事愈宜宽，

处难处之人愈宜厚，

处至急之事愈宜缓。

注：①原文如此

接物类

持己当从无过中求有过，
非独进德，亦且免患。
待人当于有过中求无过，
非但存厚，亦且解怨。

何以息谤？曰：无辩。
何以止怨？曰：不争。

人之谤我也，与其能辩，不如能容。
人之侮我也，与其能防，不如能化。

张梦复云：

受得小气，则不至于受大气。

吃得小亏，则不至于吃大亏。

又云：

凡事最不可想占便宜。便宜者，天下人之所共争也。我一人据之则怨萃于我矣，我失便宜，则众怨消矣。故终身失便宜，乃终身得便宜也。此余数十年阅历有得之言，其遵守之，毋忽。

余生平未尝多受小人之侮，

只有一善策，能转弯早耳。

忍与让，足以消无穷之灾悔。

古人有言：终身让路，不失尺寸。

任难任之事，要有力而无气；

处难处之人，要有知而无言。

穷寇不可追也，遁辞不可攻也。

恩怕先益后损，威怕先松后紧。

先益后损，则恩反为仇，前功尽弃。

先松后紧，则管束不下，反招怨怒。

善用威者不轻怒，善用恩者不妄施。

轻信轻发，听言之大戒也。

愈激愈厉，责善之大戒也。

吕新吾云：

愧之则小人可使为君子，

激之则君子可使为小人。

激之而不怒者，非有大量，必有深机。

处事须留余地，责善切戒尽言。

曲木恶绳，顽石恶攻。

责善之言，不可不慎也。

吕新吾云：

责善，要看其人何如，又当尽长善救失之道。无指摘其所忌，无尽数其所失，无对人，无峭直，无长言，无累言。犯此六戒，虽忠告，非善道矣。

又云：

论人须带三分浑厚。非直远祸，亦以留人掩盖之路，触人悔悟之机，养人体面之余，犹天地含蓄之气也。

使人敢怒而不敢言者，便是损阴骘处。

凡劝人，不可遽指其过，必须先美其长，盖人喜则言易入，怒则言难入也。善化人者，心诚色温，气和词婉；容其所不及，而谅其所不能；恕其所不知，而体其所不欲。随事讲说，随时开导。彼乐接引之诚，而喜于所好；

感督责之宽，而愧其不材。人非木石，未有不长进者。我若嫉恶如仇，彼亦趋死如骛，虽欲自新而不可得，哀哉！

先哲云：

觉人之诈，不形于言；受人之侮，不动于色。此中有无穷意味，亦有无限受用。

论人之非，当原其心，不可徒泥其迹。

取人之善，当据其迹，不必深究其心。

吕新吾云：

论人情，只向薄处求；说人心，只从恶边想。此是私而刻底念头，非长厚之道也。

修己以清心为要，涉世以慎言为先。

恶莫大于纵己之欲，祸莫大于言人之非。

施之君子，则丧吾德。

施之小人，则杀吾身。（案此指言人之非者）

人褊急，我受之以宽宏；

人险仄，我待之以坦荡。

律己宜带秋气，处世须带春风。

盛喜中勿许人物，盛怒中勿答人书。

喜时之言多失信，怒时之言多失体。

静坐常思己过，闲谈莫论人非。

面谀之词，有识者未必悦心。

背后之议，受憾者常若刻骨。

临事须替别人想，论人先将自己想。

惠不在大，在乎当厄；

怨不在多，在乎伤心。

毋以小嫌疏至戚，毋以新怨忘旧恩。

刘直斋云：

好合不如好散，此言极有理。

盖合者，始也；散者，终也。

至于好散，则善其终矣。

凡处一事，交一人，无不皆然。

（齐家类）[①]

（从政类）[②]

惠吉类

群居守口，独坐防心。

造物所忌，曰刻曰巧。

万类相感，以诚以忠。

谦卦六爻皆吉，恕字终身可行。

注：①②原文如此

悖凶类

盛者衰之始，福者祸之基。

格言续录

依《格言联璧》录写

学问类

为善最乐，读书便佳。

茅鹿门云：

人生在世，多行救济事，则彼之感我，中怀倾倒，浸入肝脾。何幸而得人心如此哉！

诸君到此何为，岂徒学问文章，擅一艺微长，便算读书种子？

在我所求亦恕，不过子臣弟友，尽五伦本分，共成名教中人。

——广州香山书院楹联

何谓至行？曰：庸行。

何谓大人？曰：小心。

存养类

自家有好处，要掩藏几分，这是涵育以养深；别人不好处，要掩藏几分，这是浑厚以养大。

以虚养心，以德养身，以仁养天下万物，以道养天下万世。

一动于欲，欲迷则昏。

一任乎气，气偏则戾。

刘直斋云：

存心养性，须要耐烦耐苦，耐惊耐怕，方得纯熟。

寡欲故静，有主则虚。

不为外物所动之谓静，

不为外物所实之谓虚。

敬守此心，则心定；敛抑其气，则气平。

青天白日的节义，自暗室屋漏中培来；

旋乾转坤的经纶，自临深履薄处得力。

气忌盛，心忌满，才忌露。

意粗性躁，一事无成；

心平气和，千祥骈集。

冲繁地，顽钝人，拂逆时，纷杂事，此中最好养火。若决烈愤激，不但无益，而事卒以偾，人卒以怨，我卒以无成，是谓至愚。耐得过时，便有无限受用处。

人性褊急则气盛，气盛则心粗，心粗则神昏，乖舛谬戾，可胜言哉？

自处超然，处人蔼然；

无事澄然，有事斩然；

得意淡然，失意泰然。

持躬类

大着肚皮容物，立定脚跟做人。

尽前行者地步窄；向后看者眼界宽。

花繁柳密处拨得开，方见手段；
风狂雨骤时立得定，才是脚跟。

人当变故之来，只宜静守，不宜躁动。即使万无解救，而志正守确，虽事不可为，而心终可白。否则必致身败，而名亦不保，非所以处变之道。

步步占先者，必有人以挤之；

事事争胜者，必有人以挫之。

度量如海涵春育，持身如玉洁冰清，

襟抱如光风霁月，气概如乔岳泰山。

心志要苦，意趣要乐；

气度要宏，言动要谨。

书有未曾经我读，事无不可对人言。

心思要缜密，不可琐屑；

操守要严明，不可激烈。

聪明者戒太察，刚强者戒太暴。

以淡字交友，以聋字止谤，
以刻字责己，以弱字御侮。

居安虑危，处治思乱。

事事难上难，举足常虞失坠；
件件想一想，浑身都是过差。

怒宜实力消融，过要细心检点。
事不可做尽，言不可道尽。

胡文定公云：

人家最不要事事足意，常有些不足处方好。才事事足意，便有不好事出来，历试历验。

邵康节诗云：

好花看到半开时，最为亲切有味。

精细者，无苛察之心；

光明者，无浅露之病。

识不足则多虑，威不足则多怒，信不足则多言。

足恭伪态，礼之贼也；

苛察歧疑，智之贼也。

敦品类

敦诗书，尚气节，慎取与，谨威仪，此惜名也。

竞标榜，邀权贵，务矫激，习模棱，此市名也。

惜名者，静而休；

市名者，躁而拙。

辱身丧名，莫不由此。

求名适所以坏名，名岂可市哉！

处事类

必有容，德乃大；必有忍，事乃济。

吕新吾云：

做天下好事，既度德量力，又审势择人。专欲难成，众怒难犯，此八字，不独妄动邪为者宜慎，虽以至公无私之心，行正大光明之事，亦须调剂人情，发明事理，俾大家信从，然后动有成，事可久。盖群情多暗于远识，小人不便于私己，群起而坏之，虽有良法，胡成胡久？

强不知以为知，此乃大愚；

本无事而生事，是谓薄福。

白香山诗云：

我有一言君记取，世间自取苦人多。

无事时，戒一偷字；有事时，戒一乱字。

刘念台云：

学者遇事不能应，总是此心受病处。只有炼心法，更无炼事法。炼心之法，大要只是胸中无一事而已。无一事，乃能事事，此是主静工夫得力处。

处事大忌急躁，急躁则先自处不暇，何暇治事？

论人当节取其长，曲谅其短；

做事必先审其害，后计其利。

无心者公，无我者明。

接物类

严著此心以拒外诱，须如一团烈火，遇物即烧；

宽著此心以待同群，须如一片春阳，无人不暖。

凡一事而关人终身，纵确见实闻，不可著口；

凡一语而伤我长厚，虽闲谈戏谑，慎勿形言。

结怨仇，招祸害，伤阴骘，皆由于此。

遇事只一味镇定从容，虽纷若乱丝，终当就绪；待人无半毫矫伪欺诈，纵狡如山鬼，亦自献诚。

公生明，诚生明，从容生明。

公生明者，不敝于私也；

诚生明者，不杂以伪也；

从容生明者，不淆于惑也。

穷天下之辩者，不在辩而在讷；

伏天下之勇者，不在勇而在怯。

以仁义存心，以忍让接物。

林退斋临终，子孙环跪请训——

曰：无他言，尔等只要学吃亏。

宽厚者，毋使人有所恃；

精明者，不使人无所容。

使人敢怒而不敢言者，便是损阴骘处。

喜闻人过，不若喜闻己过。

乐道己善，何如乐道人善。

持身不可太皎洁，一切污辱垢秽要茹纳得；处世不可太分明，一切贤愚好丑要包容得。

精明须藏在浑厚里作用。古人得祸，精

明人十居其九，未有浑厚而得祸者。

德盛者，其心和平，见人皆可取，故口中所许可者多。

德薄者，其心刻傲，见人皆可憎，故目中所鄙弃者众。

吕新吾云：

世人喜言无好人，此孟浪语也。推原其病，皆从不忠不恕所致，自家便是个不好人，更何暇责备他人乎？

攻人之恶毋太严，要思其堪受；

教人以善毋过高，当使其可从。

事有急之不白者，缓之或自明，毋急躁以速其戾。

人有操之不从者，纵之或自化，毋苛刻以益其顽。

己性不可任，当用逆法制之，其道在一忍字。

人性不可拂，当用顺法调之，其道在一恕字。

欲论人者先自论，欲知人者先自知。

凡为外所胜者，皆内不足；

凡为邪所夺者，皆正不足。

今人见人敬慢，辄生喜愠心，皆外重者也。

此迷不破，胸中冰炭一生。

小人乐闻君子之过，君子耻闻小人之恶。

此存心厚薄之分，故人品因之而别。

惠吉类

知足常足，终身不辱；

知止常止，终身不耻。

明镜止水以澄心，泰山乔岳以立身；

青天白日以应事，霁月光风以待人。

格言別錄

依格言聯璧錄寫

学问類

凛閒居以體獨。卜動念以知幾。謹威儀以定命。敦大倫以凝道。備百行以考德。遷善改過以作聖。

劉忠介人譜六條

觀天地生物氣象。學聖賢克己工夫。

存養類

宜靜默。宜從容。宜謹嚴。宜儉約。

謙退是保身第一法。安詳是處事第一法。涵容是待人第一法。恬淡是養心第一法。

劉念臺云。涵養全得一緩字。凡言語動作皆是。

应事接物，常觉得心中有從容閒暇时，纔見涵養。

劉念臺云：易喜易怒，輕言輕動，只是一種浮氣用事，此病根最不小。

呂新吾云：心平氣和四字，非有涵養者不能做工夫，只在箇定火。

陳榕门云：定火工夫，不外以理制欲，理勝，則氣自平

矣。

以和氣迎人則乖沴滅，以正氣接物則妖氣消，以浩氣臨事則疑畏釋，以靜氣養身則夢寐恬。

輕當矯之以重，浮當矯之以實，褊當矯之以寬，躁急當矯之以和緩，剛暴當矯之以溫柔，淺露當矯之以沉潛，谿刻當矯之以渾厚。

尹和靖云。莫大之禍、皆起於須臾之不能忍。不可不謹。

逆境順境、看襟度。臨喜臨怒、看涵養。

持躬類

聰明睿知、守之以愚。道德隆重、守之以謙。

富貴、怨之府也。才能、身之災也。聲名、謗之媒也。

歡樂悲之漸也

只是常有懼心，退一步做，見益而思損，持滿而思溢，則免於禍

人生最不幸處，是偶一失言而禍不及，偶一失謀而事倖行，偶一恣行而獲小利，後乃視為故常而恬不為意，則莫大之患由此生矣

學一分退讓，討一分便宜；增一分享用，減一分福澤。

不自重者取辱，不自畏者招禍。

蓋世功勞，當不得一個矜字；彌天罪惡，當不得一個悔字。

事當快意處，須轉；言到快意時，須住。

殃咎之來，未有不始於快心者，故君子得意而憂，逢喜而懼。
物忌全勝，事忌全美，人忌全盛。
安莫安於知足，危莫危於多言。
行己恭，責躬厚，接眾和，立心正，進道勇，擇友以求益，改過以全身。

心不妄念。身不妄動。口不妄言。君子所以存誠。
内不欺己。外不欺人。上不欺天。君子所以慎獨。
心術以光明篤實為第一。容貌以正大老成為第一。言語以簡重真切為第一。
平生無一事可瞞人。此是大快樂。
以情恕人。以理律己。

以恕己之心恕人，則全交；以責人之心責己，則寡過。

唐荊川云：須要刻刻檢點自家病痛。蓋所惡於人許多病痛處，若真知反己，則色色有之也。

緩字可以免悔，退字可以免禍。

敦品類

處事類

處難處之事，愈宜寬。處難處之人，愈宜厚。處至急之事，愈宜緩。

接物類

持己當從無過中求有過，非獨進德，亦且免患。

待人當於有過中求無過，非但存厚，亦且解怨。

何以息謗？曰：無辯。何以止怨？曰：不爭。

人之謗我也，與其能辯，不如能容；人之侮我也，與其能防，不如能化。

張夢復云：受得小氣，則不至於受大氣；喫得小虧，則不至於喫大虧。

又云：凡事最不可想佔便宜。便宜者，天下人之所共爭也。我一人據之，則怨萃於我矣；我失便宜，則眾怨消矣。故終身失便宜，乃終身得便宜也。此余數十年閱歷有得之言，其遵守之，毋忽。余生平未嘗多受小人之侮，只有一善策，能轉灣早耳。忍與讓，足以消無窮之災悔。古人

有言終身讓路，不失尺寸。

任難任之事，要有力而無氣；處難處之人，要有知而無言。

窮寇不可追也，遁辭不可攻也。

恩怕先益後損，威怕先鬆後緊。

先益後損，則恩反為讎，前功盡棄；先鬆後

鬆則管束不下，反招怨懟。

善用威者不輕怒，善用恩者不妄施。

輕信輕發，聽言之大戒也。愈激愈厲，責善之大戒也。

呂新吾云：愧之則小人可使為君子，激之則君子可使為小人。

激之而不怒者，非有大量，必有深機。

處事須留餘地，責善切戒盡言。

曲木惡繩，頑石惡攻，責善之言不可不慎也。

呂新吾云：責善要看其人何如，又當盡長善救失之道。無指摘其所忌，無盡數其所失，無對人，無峭直，無長言，無累言，犯此六戒，雖忠

告非善道矣

又云論人須帶三分渾厚非直遠禍亦以留人掩蓋之路觸人悔悟之機養人體面之餘猶天地含蓄之氣也

使人敢怒而不敢言者便是損陰騭處

凡勸人不可遽指其過必須先美其長蓋人

喜則言易入，怒則言難入也。善化人者，心誠色溫，氣和詞婉，容其所不及，而諒其所不能，恕其所不知，而體其所不欲，隨事講說，隨时開導，彼樂接引之誠，而喜於所好；感督責之寬，而愧其不材。人非木石，未有不長進者。我若嫉惡如讎，彼亦趨死如鶩，雖欲自新而不可得。

哀哉。

先哲云：覺人之詐，不形於言；受人之侮，不動於色。此中有無窮意味，亦有無限受用。

論人之非，當原其心，不可徒泥其迹；取人之善，當據其迹，不必深究其心。

呂新吾云：論人情只向薄處求，說人心只從

惡邊想是私而刻底念頭非長厚之道
也
修己以清心為要涉世以慎言為先
惡莫大於縱己之欲禍莫大於言人之非
施之君子則喪吾德施之小人則殺吾
身
案此指言人之非者

人褊急，我受之以寬宏；人險仄，我待之以坦蕩。

律己宜帶秋氣，處世須帶春風。

盛喜中勿許人物，盛怒中勿答人書。

喜時之言多失信，怒時之言多失體。

靜坐常思己過，閒談莫論人非。

面譽之詞，有識者未必悅心；背後之議，受憾者

常若刻骨。

臨事須替別人想。論人先將自己想。

恩不在大，在乎當厄。怨不在多，在乎傷心。

毋以小嫌疏至戚。毋以新怨忘舊恩。

劉直齋云。好合不如好散。此言極有理。蓋合者始也。散者終也。至於好散。則善其終矣。九

處一事。交一人。無不皆然。

齊家類

從政類

惠吉類

群居守口。獨坐防心。

造物所忌。曰刻曰巧。萬類相感。以誠以忠。

謙卦六爻皆吉，恕字終身可行。

悖凶類

盛者，衰之始；福者，禍之基。

格言續錄

依格言聯璧錄寫

学问類

為善最樂。讀書便佳。

茅鹿门云。人生在世、多行救濟事。則彼之感我。

中懷傾倒。浸入肝脾。何幸而得人心如此哉。

諸君到此何為、豈徒學問文章、擅一藝微長、便算讀書種子。在我所求亦恕、不過子臣弟友、盡五倫本分、共成名教中人。廣州香山書院楹聯

何謂至行。曰庸行。何謂大人。曰小心。

存養類

自家有好處、要掩藏幾分、這是涵育以養深、別人不好處、要掩藏幾分、這是渾厚以養大。

以虛養心、以德養身、以仁養天下万物、以道養天下万世。

一動於欲、欲迷則昏；一任乎氣、氣偏則戾。

劉直齋云：存心養性、須要耐煩耐苦、耐驚耐怕、方

得纯熟。

寡欲故靜，有主則虛。

不為外物所動之謂靜，不為外物所實之謂虛。

敬守此心則心定，斂抑其氣則氣平。

青天白日的節義，自暗室屋漏中培來，旋乾轉坤的經綸，自臨深履薄得力。

氣忌盛，心忌滿，才忌露。

意粗性躁，一事無成；心平氣和，千祥駢集。

衡繁地、頑鈍人、拂逆時、紛雜事，此中最好養火。若決烈憤激，不但無益，而事卒以僨，人卒以怨，我卒以無成，是謂至愚。耐得過时，便有無限受用處。

人性褊急則氣盛，氣盛則心粗，心粗則神昏，乖舛

謬處可勝言哉。

自處超然，處人藹然，無事澄然，有事斬然，得意淡然，失意泰然。

待躬類

大著肚皮容物，立定腳跟做人。

儘前行者地步窄，向後看者眼界寬。

花繁柳密處撥得開，方見手段。風狂雨驟時立得定，纔是腳跟。

人當變故之來，只宜靜守，不宜躁動。即使萬無解救，而志正守確，雖事不可為，而心終可白。否則必致身敗而名亦不保，非所以處變之道。

步步占先者，必有人以擠之；事事爭勝者，必有人以挫之。

度量如海涵春育。持身如玉潔冰清。襟抱如光風
霽月。氣概如喬嶽泰山。
心志要苦、意趣要樂。氣度要宏、言動要謹。
書有未曾經我讀。事無不可對人言。
心思要縝密、不可瑣屑。操守要嚴明、不可激烈。
聰明者戒太察。剛強者戒太暴。

以淡字交友。以聲字止謗。以刻字責己。以弱字禦侮。

居安慮危。處治思亂。

事事難上難。舉足常虞失墜。件件想一想。渾身都是過差。

怒宜實力消融。過要細心檢點。

事不可做盡。言不可道盡。

胡文定公云：人家最不要事事足意，常有些不足處方好。纔事事足意，便有不好事出来，歷試歷驗。

邵康節詩云：好花看到半開時。最爲親切有味。

精細者無苛察之心，光明者無淺露之病。

識不足則多慮，威不足則多怒，信不足則多言。

足恭偽態，禮之賊也；苛察歧疑，智之賊也。

敦品類

敦詩書、尚氣節、慎取與、謹威儀，此惜名也。競標榜、邀權貴、務矯激、習模稜，此市名也。惜名者靜而休，市名者躁而拙。

辱身喪名，莫不由此。求名適所以壞名，名豈可市哉。

處事類

必有容德乃大必有忍事乃濟

呂新吾云做天下好事既度德量力又審勢擇人專欲難成眾怒難犯此八字不獨妄動邪者宜慎雖以至公無私之心行正大光明之事亦須調劑人情發明事理俾大家信從然後動有成事可久蓋群情多闇於遠識小人不便於私己群起而

壞之，雖有良法，胡成胡久。

強不知以為知，此乃大惡。本無事而生事，是謂薄福。

白香山詩云：我有一言君記取，世間自取苦人多。

無事時戒一偷字，有事時戒一亂字。

劉念臺云：學者遇事不能應，總是此心受病處。

只有鍊心法，更無鍊事法。鍊心之法，大要只是

胸中無一事而已。無一事，乃能事事，此是主靜工夫得力處。

處事大忌急躁，急躁則先自處不暇，何暇治事。

論人當節取其長，曲諒其短；做事必先審其害，後計其利。

無心無公，無我無明。

接物類

嚴著此心以拒外誘、須如一團烈火遇物即燒。寬著此心以待同群、須如一片春陽、無人不暖。

凡一事而關人終身、縱確見實聞不可著口。凡一語而傷我長厚、雖閒談戲謔、慎勿形言。

結怨懟、招禍害、傷陰騭、皆由於此。

遇事只一味鎮定從容，雖紛若亂絲，終當就緒。

待人無半毫矯僞欺詐，縱狡如山鬼，亦自獻誠。

公生明，誠生明，從容生明。

公生明者，不蔽於私也；誠生明者，不雜以僞也；從容生明者，不淆於惑也。

窮天下之辯者，不在辯而在訥；伏天下之勇者，不在

勇而在怯。

以作義存心，以忍讓接物。

林退齋臨終，子孫環圍跪請訓，曰：無他言，尔等只要学喫虧。

寬厚者，毋使人有所恃；精明者，不使人無所容。

使人敢怒而不敢言者，便是損陰騭處。

喜聞人過，不若喜聞己過。樂道己善，何如樂道人善。

持身不可太皎潔，一切污辱垢穢要茹納得。處世不可太分明，一切賢愚好醜要包容得。

精明須藏在渾厚裏作用。古人得禍，精明人十居其九，未有渾厚而得禍者。

德盛者，其心和平，見人皆可取，故口中所許可者多；德薄者，其心刻傲，見人皆可憎，故目中所鄙棄者眾。

呂新吾云：世人喜言無好人，此孟浪語也。推原其病，皆從不忠不恕所致。自家便是箇不好人，更何暇責備他人乎。

攻人之惡毋太嚴，要思其堪受；教人以善毋過高，當
使其可從。
事有急之不白者，緩之或自明，毋急躁以速其戾；人
有操之不從者，縱之或自化，毋苛刻以益其頑。
己性不可任，當用逆法制之，其道在一忍字；人性不可拂，
當用順法調之，其道在一恕字。

欲論人者先自論，欲知人者先自知。

凡為外所勝者，皆內不足；凡為邪所奪者，皆正不足。

今人見人敬慢，輒生喜愠心，皆外重者也。此迷不破，胸中冰炭一生。

小人樂聞君子之過，君子恥聞小人之惡。此存心厚薄之分，故人品因之而别。

惠吉類

知足常足，終身不辱。知止常止，終身不恥。

明鏡止水以澄心，泰山喬嶽以立身，青天白日以應事。

霽月光風以待人。

附　見拜郭頻

錢志鵠君子懷刑題文開講云自恕之人皆日蹈於刑而不知憂，日幸免於刑而不知愧。又壯東二小比云人方有欲自肆其疑朔夕補救之近而孰知惟此制心之方保人至善地自容始悟名教從容之樂而豈若先乎慮患之為安。学問有待之語當從戰競惕勵中来，真有功世道之文也。